Y MÔR YN EU GWAED

T. Llew Jones

Detholiad Siân Lewis o rannau
allan o'r nofelau

TRYSOR Y MÔR-LADRON

BARTI DDU

DIRGELWCH YR OGOF

Argraffiad Cyntaf—1997

ISBN 1 85902 566 8

Cyhoeddwyd y rhannau a gynhwysir yn y gyfrol hon gyntaf yn y canlynol:

'Harri Morgan' ⓗ T. Llew Jones 1960. Adargraffwyd allan o *Trysor y Môr-ladron*, Gwasg Gomer.
'Barti Ddu' ⓗ T. Llew Jones 1973. Adargraffwyd allan o *Barti Ddu* gyda chaniatâd caredig Christopher Davies (Cyhoeddwyr) Cyf., Abertawe.
'Sion Cwilt' ⓗ T. Llew Jones 1977. Adargraffwyd allan o *Dirgelwch yr Ogof*, Gwasg Gomer.

Dymuna'r cyhoeddwyr gydnabod cymorth Adrannau Cyngor Llyfrau Cymru.

Argraffwyd gan
Wasg Gomer, Llandysul, Ceredigion

Cynnwys

Tud.

HARRI MORGAN 9
detholiad allan o'r nofel
TRYSOR Y MÔR-LADRON

BARTI DDU 35
detholiad allan o'r nofel
BARTI DDU

SIÔN CWILT 55
detholiad allan o'r nofel
DIRGELWCH YR OGOF

Y MÔR YN EU GWAED

'Arogl y môr yn eu ffroenau, sŵn gynnau a chleddyfau yn eu clustiau a thipyn o flas ar yr hyn a eilw'r Sais yn *high adventure* yn eu calonnau,'—dyna mae T. Llew Jones yn ei gynnig i blant Cymru yn ei nofel *Trysor y Môr-ladron*. A phwy all beidio â chyffroi wrth ddarllen am helyntion beiddgar Harri Morgan, môr-leidr enwocaf Cymru?

Môr-leidr arall 'run mor lliwgar a rhamantus yw arwr y nofel *Barti Ddu*. Mae T. Llew Jones yn byw ar lannau Bae Ceredigion. Bwrlwm y môr a'i hysbrydolodd i ysgrifennu'r ddwy nofel hon ac hefyd *Dirgelwch yr Ogof*, sy'n sôn am y smyglwr hynod, Siôn Cwilt. Ganrifoedd yn ôl dôi'r môr weithiau ag ofn ac ansicrwydd i bobl y glannau. I Harri Morgan, Barti Ddu a Siôn Cwilt daeth â chyfoeth anhygoel—cyfoeth a pherygl.

HARRI MORGAN

detholiad allan o'r nofel

TRYSOR Y MÔR-LADRON

Rhedodd Harri Morgan i ffwrdd i'r môr pan oedd yn ddyn ifanc. Gadawodd ei gartref yn ne Cymru, hwyliodd i Jamaica ac ymunodd â chriw o fôr-ladron. 'MORGAN! HARRI MORGAN!' Roedd sŵn ei lais yn codi gwallt pennau Sbaenwyr y Caribî. Ymosodai Harri ar longau'r Sbaenwyr, ysbeiliai eu dinasoedd a dwyn eu trysor. Am ei orchestion cafodd ei anrhydeddu gan frenin Lloegr.

Ar ddechrau'r nofel Trysor y Môr-ladron *mae Syr Harri newydd ddychwelyd i Gymru. Wrth farchogaeth tuag at ei gartref, Plas-marl, caiff rybudd syfrdanol gan Ieuan ap Siencyn, mab ifanc un o weithwyr ei stad. Mae Richard Llwyd, cefnder Harri, yn hawlio Plas-marl iddo'i hun ac mae'n beryg bywyd i Harri fynd yno. Aiff Harri ac Ieuan i aros dros nos mewn tafarn yn Abergafenni, ond mae'r tafarnwr yn ffrind i Richard Llwyd a'i stiward creulon, Wil Ddu. Dyw Harri a Ieuan ddim yn ddiogel yn eu gwelyau. A beth am fap trysor Harri sydd yn ei waled o dan y gobennydd?*

Dihunodd Ieuan yn wyllt a chodi ar ei eistedd ar unwaith. Yr oedd hi mor dywyll â bol buwch, ac yr oedd popeth yn ddistaw fel y bedd. Beth a'i dihunodd tybed? Ymddangosai popeth yn ddigon tawel a heddychlon, ond rywfodd yr oedd rhyw anesmwythyd yn ei feddwl—fel petai'n gwybod fod perygl yn agos, ac eto heb unrhyw sail i gredu'r fath beth. Roedd Syr Harri'n cysgu'n fwy tawel yn awr. Roedd wedi gorffen â'r chwyrnu mawr ac yn anadlu'n araf a rheolaidd. Daliai Ieuan i glustfeinio yn y tywyllwch, ond ni chlywai ddim. Yna, pan oedd ar fin gorwedd yn ôl i gysgu, clywodd sŵn! Sŵn bach bach ydoedd, ond gyrrodd ryw ias trwy gefn Ieuan. Er lleied oedd, gwyddai mai sŵn llechwraidd ydoedd—sŵn wedi ei wneud gan rywun oedd yn ceisio symud yn ddirgel. Dyna fe eto! Sŵn allwedd yn cael ei throi'n ddistaw yn y clo ydoedd! Gwingodd Ieuan gan bryder. Beth ddylai ei wneud? Yn sydyn yr oedd yn ysgwyd Harri Morgan yn ysgafn. Tybiai fod hwnnw'n cysgu'n rhy drwm i'w ddeffro, ond er ei syndod, dihunodd y dyn mawr ar unwaith a gofynnodd yn ddistaw: 'Be sy?'

'Mae 'na rywun yn ceisio dod i mewn drwy'r drws,' meddai Ieuan yr un mor ddistaw. Yna daeth y sŵn o'r drws drachefn. Taflodd Syr Harri ddillad y gwely'n ôl, a heb wneud unrhyw sŵn aeth allan o'r gwely. Er ei bod yn amhosibl gweld dim, gwyddai Ieuan ei fod wedi cydio yn ei gleddyf o ochr y gwely. Dyna glec! Roedd y drws wedi agor ac yn awr yr oedd sŵn traed lladradaidd yn yr ystafell. Y sŵn nesaf a glywodd Ieuan oedd sŵn cleddyf Harri Morgan yn cael ei dynnu o'r wain. Yr oedd fel sŵn chwip, ac yn sydyn yr oedd yr ystafell yn llawn lleisiau a sŵn cleddyfau a thraed. Clywodd lais Harri Morgan uwchlaw'r sŵn i gyd yn gweiddi:

'Golau! Ffortiwn am olau!' Ond er cynnig ffortiwn, ni ddaeth dim golau. Yna, gwaeddodd rhywun arall:

'Dyma fe! Mae e gen i! Fan hyn, fechgyn!'

Bu rhagor o ruthro a chynnwrf yn yr ystafell ac yna gostegodd y sŵn, a chlywodd Ieuan lais Wil Ddu yn gweiddi.

'Golau! Golau ar unwaith!' Yna daeth rhywun i mewn i'r ystafell â channwyll yn ei law. Y tafarnwr ydoedd. Yna ngolau'r gannwyll gwelodd Ieuan Harri Morgan ar y llawr a thri dyn cryf yn ei ddal, a chofiodd yn sydyn am rybudd y forwyn fach. Yr oedd stori'r waled gan Harri Morgan wedi gyrru'r peth o'i gof. Ond ofer cofio hynny nawr. Tynnwyd Harri Morgan yn drwsgl ar ei draed. Roedd golwg ryfedd arno. Rhedai dafnau o waed ar hyd ei fraich ac yr oedd rhwyg mawr yn ei grys gwyn, ond ei lygaid oedd yn tynnu sylw. Fflachient fel mellt yng ngolau'r gannwyll. Os oedd wedi ei drechu, nid oedd wedi gwangalonni. Er bod tri dyn yn ei ddal a Wil Ddu yn ei wylio, teimlai Ieuan fod ar bawb yno ei ofn. Roedd cleddyf noeth yn llaw Wil Ddu a safai'n union o flaen Harri Morgan.

'Dewch â'r golau'n nes,' meddai Wil Ddu, 'imi gael golwg ar Harri Morgan.'

Daeth y tafarnwr a ddaliai'r golau gam neu ddau yn nes.

'Wel, wel, wel,' meddai Wil yn wawdlyd. 'A dyma arwr Panamá? Dyma'r dyn sy wedi codi dychryn ar y Sbaenwyr? Doedd e ddim mor anodd â hynny i'w ddal wedi'r cyfan, ffrindie, oedd e?'

Chwarddodd Wil a chwarddodd rhai o'r lleill yn ofnus gydag ef. Ond roedd Ieuan yn gwylio Harri Morgan. Pan glywodd eiriau gwawdlyd Wil Ddu ymsythodd Harri Morgan a thynnodd anadl hir.

Yna, gwelodd Ieuan ef yn ymysgwyd yn sydyn, gyda'r fath nerth nes bwrw'r tri oedd yn ei ddal i'r llawr. Neidiodd am y gannwyll oedd gan y tafarnwr a'i bwrw o'i law. Yn awr yr oedd yr ystafell fel y fagddu unwaith eto. Ac yn y tywyllwch clywai Ieuan sŵn anadlu trwm a sŵn traed, ac weithiau ambell reg neu floedd. Ni allai fesur am ba hyd y parhaodd y frwydr yn y tywyllwch ond yn sydyn sylweddolodd fod popeth yn dawel. Yn y pellter gallai glywed sŵn traed yn rhedeg i lawr y grisiau.

Wedyn, clywodd sŵn rhywun yn griddfan ar y llawr, ac yna clywodd chwerthiniad Harri Morgan! Ni allai Ieuan lai na gwenu wrtho'i hunan. Nid oedd arwr Panamá mor rhwydd i'w ddal wedi'r cyfan. Cyn i Ieuan gael cyfle i ddweud dim gwelodd olau yn dod o gyfeiriad y grisiau a chlywodd sŵn traed ysgafn. Yna, daeth y forwyn fach i mewn i'r ystafell â channwyll yn ei llaw. Yn awr, cafodd Ieuan gyfle i edrych o gwmpas. Yn y gornel yn ochneidio yr oedd y tafarnwr ac ar ganol y llawr â chleddyf yn ei law yr oedd Harri Morgan yn sefyll. Nid oedd neb arall yn y golwg yn unman.

'Gosod y gannwyll ar y ford fan hyn, 'y morwyn fach i,' meddai Harri Morgan yn eithaf caredig. Gwnaeth y forwyn fach hynny gan edrych yn syn ar Syr Harri yr un pryd, fel pe bai yn ffaelu credu ei fod yn fyw. Yna, gwelodd y tafarnwr yn y gornel a rhedodd ato. Estynnodd ei llaw i'w helpu i godi oddi ar y llawr ond pan safodd ar ei draed edrychai'n llipa a sigledig iawn. Yr oedd ganddo glwyf yn ei ysgwydd a daliai un llaw ar y fan honno drwy'r amser.

'Rwy wedi . . . wedi . . . cael fy nghlwyfo,' meddai'n isel ac yn floesg. Chwarddodd Harri Morgan.

'Rwyt ti'n lwcus dy fod ti'n fyw, 'machgen i. Mae gelynion Harri Morgan yn marw gan amlaf, cofia.'

'Dewch i'ch gwely, fe'ch helpa i chi,' meddai'r forwyn fach yn dyner. Ac fe aeth y ddau allan o'r ystafell yn araf a herciog. Ar ôl iddyn nhw fynd edrychodd Harri Morgan ar Ieuan.

'Mae pethau'n dechrau mynd yn fywiog iawn, fachgen. Na hidia, mae'n debyg y cawn ni lonydd i gysgu am y gweddill o'r nos. Mae'n dda iawn dy fod ti'n gysgwr ysgafn, Ieuan, neu fe fyddai ar ben arnon ni'n dau, mae'n debyg. Wel, cystal i ni geisio cysgu tipyn eto—beth wyt ti'n feddwl?'

'Ond rydych wedi eich clwyfo, Syr Harri, yn eich ysgwydd.'

'Twt, fachgen, crafiad cath, dyna i gyd. Fe fydda i'n iawn ar ôl cael tipyn o gwsg.'

Edrychodd Ieuan eilwaith ar y clwy a gwelodd ei fod yn go ddwfn er ei fod wedi gorffen gwaedu hefyd. Ond ni ddywedodd air.

Cyn diffodd y gannwyll a mynd i'r gwely yr ail waith, edrychodd Harri Morgan o dan y gobennydd. Yna, gwaeddodd yn gynhyrfus:

'Mae'r waled wedi mynd! A'r map! Y dihirod haerllug!'

Mae map Harri yn nwylo Richard Llwyd. Heb y map does gan Harri ddim gobaith dod o hyd i'r pum llond cist o aur ac arian a gladdodd ger traeth unig yn Ne America. Ond heb Harri Morgan i'w harwain i'r fan lle roedd yr aur, doedd dim gobaith gan Richard Llwyd i ddod o hyd i'r trysor chwaith. Felly cytunodd y ddau fynd gyda'i gilydd i'r Gorllewin—a rhannu'r trysor ar ôl ei gael. Rhaid i Harri Morgan fentro'i fywyd a hwylio i'r Gorllewin yng nghwmni ei gefnder maleisus a'i griw. Er syndod i Ieuan, caiff yntau gyfle i hwylio i'r Caribî ar fwrdd y Bristol Maid. *Ef fydd gwas bach Harri ar y daith, a'i unig ffrind. 'Dyw Ieuan ddim yn debyg o achosi llawer o drafferth i ni,' meddai Richard Llwyd. Ond tybed? Ar ôl cyrraedd y* King's Arms *ym Mryste, aiff Ieuan ar neges ddirgel dros ei feistr.*

Roedd y *King's Arms* yn llawn o forwyr stwrllyd, yn canu ac yn gweiddi. Aeth y cwmni i mewn i'r gegin, ac yno yn eu disgwyl yr oedd Wil Ddu. Ni allai Ieuan lai na gwelwi wrth weld y dihiryn creulon unwaith eto. Fe'u gwelodd ar unwaith a daeth atyn nhw.

'Wel, wel. Dyma ni'n cwrdd eto, Syr Harri.'

Gwenodd yn fileinig ar Harri Morgan a gwenodd hwnnw yn ôl arno fel hogyn cellweirus.

'Wel?' meddai Richard Llwyd yn ddiamynedd.

'Dewch, syr, mae sedd a bwrdd yn y gornel fan acw. Dewch i ni gael trafod pethau.'

Aeth y ddau at y bwrdd a gadael Syr Harri a Ieuan ar ganol y llawr. Yn sydyn, trodd Wil Ddu a gofyn yn wyllt i Richard Llwyd, 'Oni ddylsen ni gadw'n agos at Syr Harri?'

Gwenodd Richard Llwyd. 'Pam, Wil? Mae'r map gyda ni. Aiff e ddim ymhell heb hwnnw.'

Eisteddodd y ddau i lawr.

'Nawr-te,' meddai Harri Morgan yng nghlust Ieuan.

'Ie, syr?'

'Gwrando. Pan gei di gyfle, rwy am i ti fynd ar neges drosof fi. Fe fyddan nhw'n siŵr o gadw llygad arna i drwy'r amser; dyna pam mae'n rhaid i ti wneud y peth.'

'Gwneud beth, syr?'

'Aros di funud. Fe awn ni atyn nhw nawr i geisio cael gwybod pryd mae'r llong yn debyg o hwylio. Wedyn fe fydda i am i ti fynd i lawr i dŷ Mrs Kemp yn ymyl yr harbwr. Cymraes yw Mrs Kemp, er y bydd hi'n anodd gen ti gredu hynny pan weli di hi. Rwy am i ti ddweud fod Harri Morgan am weld Ned yma cyn gynted ag sy'n bosib.'

'Ned?'

'Ie, Ned—fe fydd Mrs Kemp yn gwybod yn iawn. Wedi meddwl, fe fydd yn well i ti lithro allan nawr tra bod y ddau yna yn trafod busnes. Fyddan nhw'n llai tebyg o weld dy eisie di.'

Aeth Ieuan am y drws heb oedi rhagor a chlósiodd Harri Morgan at y bwrdd lle'r oedd y ddau ddyn yn trafod eu busnes yn eiddgar iawn.

Ni wyddai Ieuan i ba gyfeiriad yr oedd yr harbwr. Pan aeth allan i'r awyr agored yr oedd yn noson serog braf, a phenderfynodd gerdded am dipyn cyn holi'r ffordd i neb. Wedi cyrraedd gwaelod y stryd gwelodd hen forwr yn cerdded yn simsan o'i flaen a meddyliodd Ieuan ei bod yn eitha posib ei fod yn mynd yn ôl at ei long yn yr harbwr. Gwir oedd y peth. Wedi dilyn yr hen forwr am dipyn gwelodd yr harbwr o'i flaen. Gwelodd fastiau uchel y llongau rhyngddo a'r awyr a gwelodd eu goleuadau yn wincio ar y dŵr. Pan ddaeth i waelod y stryd meddyliodd ei bod yn bryd holi rhywun am Mrs Kemp. A phwy'n well na'r hen forwr a gerddai o'i flaen? Brysiodd i'w ddal.

'Os gwelwch yn dda . . .' meddai Ieuan.

Arhosodd yr hen forwr a phwysodd ymlaen i edrych i wyneb Ieuan. Yn sydyn cododd ei law a gwelodd Ieuan gyllell yn fflachio. Aeth gam yn ôl.

'Os gwelwch yn dda, eisie gwybod ble mae Mrs Kemp yn byw sy arna i. Do'wn i ddim yn meddwl dim drwg.'

'Mrs Kemp?' Chwarddodd yr hen forwr yn uchel. 'Beth wyt ti'n 'mofyn â Mrs Kemp?' Pwysodd ymlaen eto ac edrychodd i fyw llygaid Ieuan. 'Gwrando, 'ngwas i. Cadw di bant oddi wrth Mrs Kemp, os wyt ti'n gall. Rwyt ti'n rhy ifanc . . . yn rhy ifanc . . . coelia di fi . . .' Ac i ffwrdd ag ef gan fwmian rhywbeth dan ei anadl. Ni allai Ieuan wneud pen na chynffon o'r hyn a glywodd a dechreuodd gerdded yn ôl a blaen gan feddwl y dôi rhywrai cyn bo hir i roi gwybod iddo ym mhle yr oedd tŷ Mrs Kemp.

Cyn bo hir daeth hen wraig i fyny o gyfeiriad yr harbwr ac aeth Ieuan ati i'w holi. Agorodd yr hen wraig ei llygaid led y pen pan ddeallodd yr hyn a geisiai. Ond pwyntiodd â'i bys at dŷ mawr ar gongl y stryd, ac i ffwrdd â hi heb ddweud gair. Aeth Ieuan i lawr at ddrws y tŷ mawr tywyll. Aeth at y drws a chnociodd arno. Distawrwydd llethol. Gellid tybio mai tŷ gwag oedd y tu ôl i'r drws. Cnocio wedyn ac yn sydyn ac yn ddirybudd dyma'r drws yn agor a dwy law yn estyn o'r tywyllwch ac yn cydio ynddo a'i dynnu i mewn i'r tŷ.

Ni wyddai ar y ddaear pwy oedd wedi cydio ynddo. Yr unig beth a wyddai oedd fod breichiau cryfion ganddo, pwy bynnag oedd e. Cafodd ei wthio i mewn i ystafell fawlyd, dywyll—na, nid yn hollol dywyll, ychwaith, oherwydd yr oedd cannwyll yn llosgi ar fwrdd bach ar ganol y llawr. Wrth olau'r gannwyll gallai weld hen fenyw eithriadol o dew yn eistedd wrth lygedyn o dân.

Fel y deuai ei lygaid yn fwy cyfarwydd â'r hanner gwyll yn yr ystafell gallai weld pethau'n gliriach. Gwelodd fod wyneb yr hen wraig yn greithiog ac yn frwnt iawn. Yna, ceisiodd edrych dros ei ysgwydd i weld pwy oedd yn ei ddal. Bu bron â rhoi sgrech dros y lle i gyd pan welodd mai dyn du ydoedd! Dyn du! Beth yn y byd oedd yn digwydd iddo? A beth oedd ym meddwl Harri Morgan yn ei anfon i'r fath le?

Gwnaeth yr hen wraig arwydd ar y Dyn Du, a gwthiodd hwnnw Ieuan yn nes ati. Yn awr yr oedd wyneb hagr yr hen wraig o fewn chwe modfedd i'w wyneb ac yr oedd golwg mor filain arni fel y meddyliodd fod ei ddiwedd wedi dod.

'Wel?' meddai'r hen wraig. Yn ei ddychryn brysiodd Ieuan i egluro yn Gymraeg.

'Mae Harri Morgan eisie gweld Ned.'

Agorodd yr hen wraig ei llygaid led y pen a phwyso'n ôl yn ei chadair. Yn rhyfedd iawn daeth gwên i'r wyneb hagr, ac edrychodd yn garedig ar Ieuan.

'Cymro bach!' meddai yn isel yn Gymraeg. 'Cymro bach wyt ti, iefe?'

Yna cododd ei llais unwaith eto gan ymsythu yn ei chadair.

'Ond sut yr oeddwn i i wybod?'

Ni wyddai Ieuan beth oedd yn ei meddwl. Ond aeth yr hen wraig ymlaen yn ffyrnig unwaith eto.

'Sut yr oeddwn i i wybod mai Cymro oeddet ti? Wyt ti'n meddwl mai dewines ydw i?'

Fe allai Ieuan fod wedi dweud wrthi ei bod hi'n debyg iawn i hen ddewines neu wrach neu rywbeth, ond ni wnaeth. Tawelodd yr hen wraig unwaith eto.

'Wel, 'y nghariad i, beth ddwedest ti nawr am Ned?'

'Mae Harri Morgan yn 'mofyn gweld Ned.'

'Rown i'n meddwl mai dyna ddwedest ti'r tro cynta.' Gwnaeth arwydd ar y Dyn Du a gadawodd hwnnw Ieuan yn rhydd ac aeth allan o'r ystafell ar unwaith.

'Eistedd fan hyn,' meddai'r hen wraig ar ôl i'r drws gau.

'Wel, wel, mae Harri Morgan wedi cyrraedd Bryste unwaith eto. Wel, wel.'

Edrychodd yn freuddwydiol ar Ieuan ac yr oedd hanner gwên ar ei hwyneb, fel pe bai'n cofio am ryw hen ddyddiau hapus a aeth heibio.

'Harri Morgan! Dyna un o blant y Gŵr Drwg os bu un erioed. A choelia di fi . . .' Ymsythodd yn ei chadair unwaith eto, '. . . fe fydd 'ma helynt ac ymladd a drygioni eto, gei di weld. Ble bynnag mae Harri Morgan, fe elli di fentro y bydd helynt cyn bo hir.'

Synnodd Ieuan ei gweld yn gwenu'n braf wrth ddweud hyn. Ond yr eiliad nesaf edrychai'n wgus arno unwaith eto.

'A beth wyt ti'n 'i wneud gyda phobl fel Harri

Morgan? Gwarchod pawb! Rhag dy g'wilydd di, yn dilyn y fath asgwrn y diafol â Harri Morgan.' Yna'n sydyn reit yr oedd yn gwenu wedyn.

Pwysodd ymlaen at Ieuan.

'Ble mae Harri?'

'Yn y *King's Arms*.'

'Yn y *King's Arms*, iefe? A Chymro bach o ble wyt ti? A beth yw dy enw di?'

Dywedodd Ieuan wrthi mai o Abergafenni y daeth, o'r un man â Harri Morgan. Yna gofynnodd

iddi o ba le yng Nghymru y deuai hi. Daeth cyfnewid sydyn dros wyneb yr hen wraig.

'Meindia dy fusnes, y mwnci drwg!' gwaeddodd gan wgu arno.

Neidiodd Ieuan ar ei draed mewn dychryn ac aeth i gyfeiriad y drws, gan feddwl dianc o olwg yr hen wrach ryfedd hon. Ond cyn iddo gyrraedd y drws yr oedd y storm wedi tawelu.

'Aros,' meddai hi'n awdurdodol, 'rwyt ti am weld Ned, on'd wyt ti?'

Yna, trawodd yr hen wraig y llawr deirgwaith â'i ffon. Cyn bo hir clywodd Ieuan sŵn traed yn nesu at y drws a daeth dyn bach byr, i mewn i'r ystafell. Yr oedd ganddo glwt du dros un llygad, ac edrychai'r llygad arall yn ddrwgdybus ar Ieuan. Yna edrychodd ar yr hen wraig, ac am ennyd ni ddywedodd neb yr un gair.

'Ned,' meddai'r hen wraig o'r diwedd, 'mae Harri Morgan wedi cyrraedd.'

'Harri—yma!' A dechreuodd y dyn bach chwerthin yn ddilywodraeth yn ei lawenydd. 'O'r diwedd! Fe ddwedes y bydde Harri'n dod, on'd do fe? Nawr fe fydd tipyn o fywyd yn yr hen le 'ma unwaith eto.'

Edrychai'r hen wraig arno heb ddweud dim, yna ysgydwodd ei phen, ac meddai hi:

'Wn i yn y byd pa wahaniaeth mae dyfodiad Harri Morgan yn mynd i'w wneud i ti, Ned. Rwyt ti'n gwybod yn burion na fentri di ddim dangos dy hunan y tu allan i'r tŷ 'ma yng ngolau dydd, neu fe fydd y milwyr yn siŵr o gydio ynot ti.'

'Taw, fenyw. Fe a' i i'r môr gyda Harri Morgan. Wyt ti'n clywed—fe a' i i'r môr gyda Harri Morgan, ac fe ddown ni'n ôl yn gyfoethog a . . .'

'O'r hen ffŵl! Dwyt ti'n gwella dim. Cyn gynted ag y clywest ti enw Harri Morgan, dyma ti'n siarad fel hen leban dwl. A sut y gwyddost ti na fydd y bachgen 'ma'n dy fradychu di?'

Mewn fflach yr oedd cyllell yn llaw Ned a fflachiai'r un llygad yn beryglus.

'Os wyt ti'n parchu dy iechyd, 'y machgen gwyn i, fyddi di ddim yn bradychu Ned i'r milwyr. Wyddost ti pam y mae'r milwyr yn chwilio am Ned, wyddost ti?'

Ysgydwodd Ieuan ei ben. Chwarddodd Ned a thynnodd ei gyllell hir ddwywaith neu dair drwy'r awyr. Deallodd Ieuan ar unwaith beth oedd ystyr yr arwydd. Roedd y gyllell yn llaw Ned wedi bod yn gyfrifol am ryw weithred ysgeler, efallai am fwy nag un.

'Ble mae Harri Morgan?' gofynnodd Ned. 'A beth mae e'n 'i wneud yma? Wyddost ti?' Nid atebodd Ieuan.

'Wyddost ti?' gofynnodd Ned wedyn gan godi ei lais. Nodiodd Ieuan yn fud. Nid oedd am adrodd hanes Syr Harri a Richard Llwyd wrth y dieithriaid hyn.

'Wel?' meddai'r dyn bach, gan nesu ato'n araf.

'Mae e yn y *King's Arms,*' meddai Ieuan.

'O, a'i fusnes e?' Dim ateb. 'O, rwyt ti'n mynd i fod yn styfnig, wyt ti? Gawn ni weld a all y gyllell 'ma ryddhau dy dafod di!'

Daliai'r dyn bach y gyllell o flaen ei wyneb yn awr. Ond roedd Ieuan yn benderfynol o beidio â dweud dim o fusnes Syr Harri wrtho. Daeth y gyllell yn nes ac yn nes at ei wyneb a gwyliai'r hen wraig y cyfan er bod ei llygaid bron ynghau.

Yn awr, roedd llafn y gyllell bron â chyffwrdd â'i foch a disgwyliai bob munud glywed y min ar ei groen. Yna, torrodd llais cras yr hen wraig ar draws y distawrwydd.

'Na, Ned. Nid fel'na. Gad y bachgen i fi. Mae'n debyg fod Harri Morgan yn dewis ei gyfeillion yn ofalus, fel arfer. Gwrando, 'machgen i. Oes rhywun gyda Harri Morgan?'

'Oes, mae Richard Llwyd gydag e,' meddai Ieuan, gan feddwl na fyddai dweud hynny'n bradychu dim o Harri Morgan.

'A! Richard Llwyd? Cyfaill i Harri, iefe?'

Ysgydwodd Ieuan ei ben.

'O,' meddai'r hen wraig yn araf, 'nid ei gyfaill. Ei elyn, felly?'

'Ie,' meddai Ieuan. 'A ddweda i ddim rhagor o gwbwl.'

Chwarddodd yr hen wraig. 'Fydd dim eisie i ti, 'machgen i. Fe alla i ddychmygu'r gweddill.'

'Sut?' gofynnodd Ieuan mewn syndod.

'Mae Harri Morgan yn y *King's Arms,* ac mae e'n 'mofyn gweld Ned. Nawr pe byddai Harri'n rhydd, fe fyddai wedi dod yma 'i hunan i edrych am Ned. Ond mae 'na elynion yn 'i wylio fe, ac felly mae e'n dy yrru di yma yn ei le, heb yn wybod i'w elynion.'

Agorodd Ieuan ei lygaid led y pen. Ond aeth yr hen wraig ymlaen.

'Mae'r ffaith fod Harri'n 'mofyn cael Ned gydag e'n golygu ei fod yn bwriadu mynd i'r môr—i'r Gorllewin mae'n debyg—lle buon nhw gyda'i gilydd o'r blaen. Mae'n golygu hefyd fod rhyw gyfrwystra ar droed, fel sydd bob amser pan fydd Ned ac yntau'n dod at ei gilydd. Does arna i ddim eisie gwybod rhagor na hynny ar hyn o bryd. Ond synnwn i fawr nad oes 'na drysor a Sbaenwyr yn y fusnes yn rhywle.'

Roedd Ieuan wedi hen sylweddoli erbyn hyn fod yr hen wraig yn un o'r bobl gyfrwysa a welodd erioed. Chwarddodd Ned yn uchel ac edrychodd ar yr hen wraig fel pe bai'n falch iawn ohoni. Ond gwgu arno a wnaeth hi.

'Taw'r ffŵl! A chofia, pan ei di i'r *King's Arms* fe fydd rhaid i ti weld Harri heb i neb dy weld ti. Ac fe fydd rhaid i ti gadw'r un llygad 'na sy gen ti ar agor drwy'r amser. Wyt ti'n deall?'

Trawodd yr hen wraig y llawr ddwywaith â'i ffon, a daeth y Dyn Du i mewn unwaith eto. Yn awr cafodd Ieuan amser i'w weld yn iawn. Nid oedd wedi gweld dyn du o'r blaen, ac yr oedd hwn yn anferth o fawr ac mor ddu â'r glo. Ond torrodd yr hen wraig ar ei draws.

'Wel, 'machgen i, gwell i ti fynd. Dwed wrth Harri Morgan fod y neges wedi ei derbyn, a bod Ned yn gwybod beth i'w wneud. A phob lwc i ti. Fe fydd 'i eisie fe arnat ti os wyt ti'n mynd i gyfeillachu â phobl fel Harri Morgan a Ned 'ma.

Ond dy fusnes di yw hynny. A gobeithio y gweli di Abergafenni unwaith eto cyn dy fedd.'

Bydd, fe fydd angen lwc ar Ieuan ap Siencyn. Mae'r bachgen ifanc yn wynebu antur fwyaf ei fywyd. O'i flaen mae peryglon y môr, cynllwynion mileinig Richard Llwyd a bygythiad y Sbaenwyr. Ond pan hwylia'r Bristol Maid, *heb yn wybod i Richard Llwyd, mae gan Harri ac Ieuan dri ffrind arall ar ei bwrdd. Yn eu plith mae Ned, y môr-leidr bach ffyrnig.*

Ar ôl damwain frawychus gadewir Harri Morgan ar ynys unig, heb neb ond Ieuan a Ned yn gwmni. Does dim modd dianc, nes i un o longau Sbaen hwylio i mewn i'r bae. Pwy ond Harri Morgan feiddiai ddwyn un o gychod y Sbaenwyr o dan eu trwynau ac yna ymosod ar eu llong?

'Ar y bwrdd, Ieuan!'

Neidiodd y ddau i'r cwch yr un pryd. Ond yn awr yr oedd y Sbaenwyr ar eu pennau. Taniodd dau neu dri ohonyn nhw bistol a chlywodd Ieuan un yn taro'r cwch.

'Gorwedd!' meddai Harri Morgan. 'Paid â chodi dy ben neu fe fydd ar ben arnat ti!'

Rywfodd neu'i gilydd llwyddodd Syr Harri i gael rhwyf dros yr ochr a chydag un gwthiad cadarn llwyddodd i bellhau rhywfaint oddi wrth y lan. Ond yr oedd yn amhosib rhwyfo gan na fentrai un o'r ddau godi ei ben uwchlaw ochr y cwch. Erbyn hyn yr oedd rhai o'r Sbaenwyr yn y dŵr yn cerdded hyd eu hanner yn y môr ac yn tanio'n ddi-baid. Daeth un mwy mentrus na'r lleill atyn nhw a rhoi ei law ar y cwch. Cododd Harri Morgan ar ei eistedd a thanio'i bistol yn ei wyneb. Gyda sgrech aeth y Sbaenwr dan y dŵr. Ond yr oedd y cwch yn gorwedd yn llonydd yn y dŵr a gwyddent na allai fod yn hir cyn y byddai'r Sbaenwyr yn eu dal. Yna clywsant sblash yn eu hymyl. Tynnodd Harri Morgan ei gleddyf ac edrychodd dros yr ochr yn barod i frathu pwy bynnag oedd yno.

'Cap'n!' Ned oedd yno!

'Aros fanna a gwthia'r cwch ymhellach o'r lan.'

Yr oedd Harri Morgan yn wyllt. Yna teimlodd Ieuan y cwch yn symud. Yr oedd y dyn bach wrth nofio'n gwthio'r cwch o'i flaen! Cyn pen fawr o dro yr oeddynt allan ymhell o olau'r tân ac o afael y Sbaenwyr ar y lan. Cododd y ddau ar eu heistedd a chydiodd Syr Harri yn y rhwyfau.

'Tynn Ned i fyny,' meddai wrth Ieuan. Estynnodd hwnnw law yn y tywyllwch a theimlodd law wlyb y dyn bach yn cydio ynddi. Cyn pen winc yr oedd Ned yn y cwch.

'Beth wnawn ni nawr?' gofynnodd Ieuan.

'Y llong,' meddai Syr Harri.

'Y llong?' Ond ni wnaeth Syr Harri unrhyw sylw ohono. Yn lle hynny gofynnodd i Ned:

'Lwyddaist ti i suddo'r cwch?'

Chwarddodd y dyn bach, 'Ai, ai, Cap'n.'

Chwarddodd Harri Morgan hefyd, yn hir ac yn ddistaw yn y tywyllwch. Rhoddodd Syr Harri'r rhwyfau i Ned.

'Yn ara bach, Ned. A chofia, mor dawel â'r bedd gyda'r rhwyfe 'na.'

Eisteddodd Harri Morgan ym mhen blaen y cwch yn edrych i'r tywyllwch o'i flaen. Gwyddai Ieuan ei fod yn chwilio am y llong. Rhwyfai Ned yn araf ac yn esmwyth heb dorri'r dŵr na gwneud un sŵn ac eithrio gwich isel y rhwyfau. Edrychodd Ieuan yn ôl i gyfeiriad y traeth. Gallai weld y Sbaenwyr yn gwau trwy'i gilydd yng ngolau'r tân, a thros y dŵr tuag atynt deuai sŵn eu lleisiau cynhyrfus. Rhaid eu bod erbyn hyn yn gwybod fod y ddau gwch wedi eu colli a rhaid felly eu bod yn pryderu beth oedd yn mynd i ddigwydd nesa. Rhaid hefyd bod y morwyr ar y llong wedi clywed yr ergydion a'r gweiddi ac yn methu deall beth oedd o'i le. Druan o Ieuan—bob tro y meddyliai am yr hyn yr oedd Harri Morgan yn mynd i'w wneud nesa, fe gurai ei galon gan ddychryn. Yn sydyn, clywodd lais Harri Morgan yn sibrwd o ben blaen y cwch.

'Hist!'

Stopiodd Ned rwyfo ar unwaith ac arafodd y cwch. Yna, yn y distawrwydd gallent glywed sŵn rhwyfo yn dod o gyfeiriad y llong. Deallodd Ieuan ar unwaith beth oedd yn bod. Yr oedd y morwyr ar y llong yn rhwyfo cwch tua'r traeth i weld beth oedd wedi digwydd. A oeddynt yn mynd i basio'n ddigon agos i'w gweld yn y tywyllwch? Edrychodd tua'r dwyrain a sylwodd fod yr awyr yn olau yno. Yr oedd y lleuad yn codi. Cyn bo hir fe fyddai wedi dod dros y gorwel a byddai'r cwch mawr oedd ganddynt yn hawdd ei weld.

Daeth y sŵn rhwyfo yn nes. Yr oedd hi'n amlwg yn awr fod y cwch yn dod bron yn union tuag atynt. Ond yr oedd hi'n dal yn dywyll, a'r lleuad heb godi dros y gorwel. Yr oedd yn beryglus i Ned rwyfo rhag ofn y byddai'r Sbaenwyr yn clywed sŵn ei rwyfau. Rhaid oedd penderfynu rhywbeth ar unwaith ac arhosai Ieuan a Ned yn amyneddgar i glywed beth fyddai gorchymyn Syr Harri. Yna clywsant ef yn sibrwd.

'Ned, rhwyfa . . . yn ara . . . ara . . . Ned . . . fe awn ni . . . i'r chwith.'

Clywodd Ieuan Ned yn rhoi ei rwyfau'n ofalus yn y dŵr. Yna'r wich isel pan dynnodd Ned ar y rhwyfau a theimlodd Ieuan y cwch yn symud yn araf. Yna daeth sŵn rhwyfau eraill yn eu hymyl. Yr oedd y Sbaenwyr yn rhwyfo'n gyflym yn eu brys i gyrraedd y lan. Aeth y cwch heibio o fewn decllath iddyn nhw a daliodd y tri eu hanadl rhag ofn y byddai un o'r Sbaenwyr yn eu gweld. Yna aeth y cwch yn ei flaen ac aeth sŵn y rhwyfau'n llai ac yn llai.

'Nawr am y llong, Ned!' meddai Harri Morgan yn gyffrous. Rhwyfodd Ned yn gyson ac yn dawel unwaith eto. Yna, gwelodd Ieuan gysgod du'r llong o'i flaen. Yr un funud daeth ymyl y lleuad llawn dros y gorwel. Clywodd Ieuan Harri Morgan yn rhegi dan ei anadl.

'Paid â rhwyfo rhagor, Ned.'

Cododd Ned y rhwyfau o'r dŵr a llithrodd y cwch yn araf i mewn dan ochrau uchel y llong. I edrych arni o'r dŵr, yr oedd hi'n anferth o long fawr.

'Tsaen yr angor, fechgyn,' sibrydodd Syr Harri.

Gwelodd Ieuan tsaen yr angor yn disgleirio'n wlyb yng ngolau'r lleuad. Yna, cyn pen winc, yr oedd Ned yn dringo arni fel corryn llwyd.

'Ti nesa, Ieuan.'

Cododd Ieuan ar ei draed a chydiodd yn y tsaen fawr a'i dynnu ei hunan i fyny. Curai ei galon fel morthwyl a synnai wrth ddringo na fyddai rhywun ar y bwrdd wedi ei glywed. Cyrhaeddodd Ned y bwrdd ac estynnodd ei law i Ieuan a'i dynnu i fyny. Yna yr oedd Harrri Morgan yn eu hymyl. Edrychodd Ieuan arno, a gwelodd gyllell yn fflachio rhwng ei ddannedd yng ngolau'r lleuad. Sylwodd fod ei gleddyf yn ei law hefyd.

'Nawr 'te,' sibrydodd Syr Harri. 'Ieuan, fe fydd eisie'r cleddyf hardd 'na arnat ti heno, 'machgen i. Gofala 'i fod e'n barod. 'Mlaen â ni.' Dechreuodd gerdded ar draws y dec a Ned a Ieuan wrth ei sodlau. Yr oedd popeth yn dawel ar y llong fawr. Yna, trawodd Ieuan ei droed mewn bwndel o raffau ar y dec ac aeth i lawr fel carreg. Cyn iddo godi ar ei draed yr oedd pethau wedi dechrau digwydd. Yn gyntaf, daeth gwaedd o ben blaen y llong, yna sŵn traed yn rhedeg tuag atynt. Erbyn iddo sefyll ar ei draed gwelodd Ieuan fod saith neu wyth o Sbaenwyr yn rhedeg tuag atynt. Yna yr oedd Syr Harri'n gweiddi, 'MORGAN! HARRI MORGAN!'

Cafodd y waedd ofnadwy honno ei heffaith ar y Sbaenwyr oedd yn rhedeg tuag atynt a'u cleddyfau'n fflachio yng ngolau'r lleuad. Safasant fel pe bai rhywbeth wedi eu taro. Hawdd gwybod fod enw

Harri Morgan yn ddychryn yn y Gorllewin o hyd. Yna daeth y waedd eto. 'MORGAN! HARRI MORGAN!'

Rhedodd yr hen fôr-leidr ymlaen wrth weiddi. Yna yr oedd ei gleddyf yn gwibio yng nghanol y Sbaenwyr. Aeth un i lawr yn ddau ddwbl, wedi ei glwyfo'n dost. Yna yr oedd Ned gydag ef, a Ieuan hefyd. Taniodd un o'r Sbaenwyr bistol a theimlodd Ieuan wynt y bwled yn mynd heibio i'w glust. Bu hynny'n sbardun iddo. Aeth ymlaen i ymyl Syr

Harri a bu bron i hynny fod yn ddiwedd iddo, oherwydd daeth cleddyf Sbaenwr o'r tywyllwch a'i frathu yn ei foch. Teimlodd y gwaed poeth yn llifo i lawr ond nid oedd amser i feddwl am ddim. Fe'i hyrddiodd ei hun at ei elyn a oedd yn awr yn eglur yng ngolau'r lleuad. Fflachiodd dau gleddyf gyda'i gilydd, ond y Sbaenwr a gwympodd i'r dec.

Ar ôl brwydr ffyrnig mae Harri'n cipio'r llong. Nawr am ras ar draws y Caribî i geisio cyrraedd y trysor cyn Richard Llwyd. Ond mae'r Sbaenwyr hefyd ar y trywydd. 'MORGAN! HARRI MORGAN!' Wrth ddilyn y floedd, a'i gleddyf yn ei law, fe ŵyr Ieuan y bydd rhaid iddo ymladd am ei fywyd. Bydd trysor y môr-ladron yn costio'n ddrud i Harri Morgan.

BARTI DDU

detholiad allan o'r nofel

BARTI DDU

Rhedeg i ffwrdd i'r môr wnaeth Harri Morgan, ond cael ei gipio o lan môr Sir Benfro wnaeth Barti Ddu.

Roedd hi'n rhyfel rhwng Sbaen a Lloegr, a'r Llynges yn brin o ddynion. Doedd ond un ffordd o gael rhagor o forwyr. Eu cipio! Byddai pobl y glannau'n dychryn o weld llong ryfel yn angori yn y bae a chriw o ddynion garw'r Press Gang yn rhwyfo tuag atynt.

Roedd gan y Press Gang hawl i ddwyn dynion a'u cludo i'r llong heb air o rybudd. Ddôi rhai o'r dynion hynny byth yn ôl. Pan hwyliodd llong ryfel i Drefdraeth, un o'r rhai a gipiwyd gan y Press Gang oedd pysgotwr a thöwr ifanc o Gasnewy' Bach. Ei enw oedd Bartholomew, neu Barti, Roberts.

Druan o Barti. Ar ddechrau'r nofel Barti Ddu, *mae e newydd briodi Megan, merch brydferth tafarn Llwyn-gwair. Er nad oes gan dad Megan fawr o olwg ar ei fab-yng-nghyfraith gwyllt a beiddgar, mae Barti ar ben ei ddigon. Ond yna, ar ganol y dathlu, daw gwaedd frawychus, 'Y Press! Y Press!'*

Edrychodd Megan mewn dychryn ar ei gŵr.

'Y Press, Barti!' meddai, a'i llygaid yn fawr gan ofn.

'Folltaist ti'r drws?'

'Naddo. Do! Wyt ti'n meddwl 'u bod nhw'n mynd i ddod mewn yma? Wyt ti, Barti?'

'Maen nhw'n ddigon haerllug . . .'

'Barti, 'nghariad i, rhaid i ti guddio!'

'Ym mhle, Megan?'

'Y . . . yn y gwely! Brysia! Neidia i'r gwely a chau'r llenni!'

'Ond beth amdanat ti?'

'Paid â hidio amdana i. Dŷn nhw ddim eisie merched ar 'u hen longe, neu o leia . . .'

Daeth y traed trymion i ben y grisiau.

'Brysia, Barti! Fydd neb yn meddwl dy fod ti yma os ei di i'r gwely a chau'r llenni.'

'Ond fedra i ddim neidio i'r gwely a gadael i'r tacle 'na dy weld di fel yna, Megan.'

'Barti, er fy mwyn i!'

Curodd rhywun ar ddrws yr ystafell. Neidiodd Barti i'r gwely yn ei ddillad a rhedodd Megan i weld fod y llenni melfed wedi eu cau'n dynn.

Yr oedd sŵn siarad uchel y tu allan i'r drws. Yna gyda sŵn fel ergyd o wn, dyma'r drws yn agor! Roedd rhywrai wedi defnyddio nerth aruthrol i dorri'r clo, a darn o'r ffrâm hefyd.

Yna roedd hanner dwsin o forwyr brown yn yr ystafell wely. Daethant i mewn ag arogl cwrw a thybaco gyda hwy—ac arogl y môr.

Cydiodd Megan yn ei ffrog briodas o'r llawr a'i dal o'i blaen.

'Ha!' meddai'r blaenaf o'r gang—y mêt John Davies, er na wyddai Megan mo hynny. Dechreuodd yr eneth grynu fel deilen. Cyn i'r dihirod dorri i mewn roedd hi wedi penderfynu bod yn ddewr. Ond pan edrychodd hi ar wynebau'r dynion, fe wyddai rywfodd nad oedd unrhyw ddrygioni y tu hwnt iddyn nhw.

Roedd hi'n gyfarwydd â morwyr, wrth gwrs;

byddai digon ohonyn nhw yn galw yn nhafarn Llwyngwair o hyd. Ond roedd y rhain yn wahanol—dihirod digywilydd oedden nhw.

'Wel! wel! wel! Dyma damaid bach blasus, on'tefe ffrindie, hym?' meddai'r mêt.

'Rhag eich c'wilydd chi'n torri mewn i'n stafell wely i fel hyn! Mae 'Nhad i lawr y grisie—fe gewch chi ateb am hyn!'

'Rydyn ni wedi cael gair â'ch tad, madam,' meddai'r mêt haerllug, 'a ddwedodd e ddim byd wrthon ni am beidio dod i'ch gweld chi.'

Chwarddodd dau neu dri o'r lleill.

'Ewch allan o'r stafell 'ma'r funud 'ma!' gwaedd-odd Megan. 'Rwy'n synnu atoch chi'n tarfu ar ferch yn 'i stafell 'i hunan . . .'

'O! Ydych chi'ch hunan, madam?' gofynnodd y mêt.

Yr oedd ei lygaid ar y gadair yn ymyl y gwely. Edrychodd Megan, ac aeth ias oer drwyddi. Ar y gadair yr oedd cot goch Barti.

'Beth am fynd â'r ladi fach yma gyda ni i'r Gorllewin, Mister Mêt?' gwaeddodd un o'r gang.

'Ie,' meddai un arall, 'fe allai fod yn gysur mawr i ni yn ystod y nosweithiau unig ar y môr!'

Chwarddodd y lleill. Yr oedd bochau tlws Megan yn goch fel tân.

'Tawelwch!' gwaeddodd y mêt. 'Nawr, madam, ble mae e?'

'Ble mae pwy?' gofynnodd Megan.

'Ha! Ha! Does bosib eich bod chi am 'i guddio fe,

madam! Mae 'i eisie fe arnon ni i ymladd dros 'i wlad.'

'Does 'na neb yn y stafell 'ma,' meddai Megan.

'Oho! Felly'n wir! Edrychwch o gwmpas, fechgyn. Beth am y wardrob fawr yna?' gwaeddodd y mêt.

Pam na ddeuai ei thad i'w hamddiffyn? meddyliodd Megan.

Gwelodd y dynion yn gwasgaru o gwmpas yr ystafell i chwilio am Barti. Gwelodd y mêt yn bodio brethyn y got goch ar y gadair â gwên ar ei wyneb.

Wrth basio, rhoddodd un o'r morwyr binsiad i Megan yn ei phen-ôl. A cheisiodd un arall roi ei fraich am ei chanol. Tynnodd un mwy haerllug na'r lleill ei ffrog briodas o'i dwylo, a cheisiodd un arall—dyn barfog mawr—roi cusan iddi. Roedd ei theimladau'n gawdel i gyd. Gwyddai yn ei chalon na fyddent yn hir yn darganfod cuddfan Barti. Yn wir, roedd hi'n synnu na fuasen nhw wedi edrych y tu ôl i lenni'r gwely, waeth roedden nhw wedi agor llenni'r ddwy ffenest yn barod, i weld a oedd e'r tu ôl i'r rheini.

Unrhyw funud nawr, meddyliodd, byddent yn dod o hyd i'w gŵr ifanc ac yn mynd ag ef, ar noson eu priodas, mewn llong i ben draw'r byd—ac efallai na welai hi mohono byth eto!

Fel pe bai mewn breuddwyd clywodd waedd yn dod o ymyl y gwely!

'Dyma fe, hogie—yn y gwely!'

Yr eiliad nesaf roedd Barti wedi neidio, ar ei draed, o'r gwely i'r llawr. Yr oedd golwg wyllt, ffyrnig

arno. Y dyn nesaf ato oedd y mêt a thrawodd Barti ef o dan ei ên â'i ddwrn. Syrthiodd y dyn mawr hwnnw i'r llawr. Ond mewn winc roedd ar ei draed wedyn. Yna roedd yr ystafell yn llawn terfysg i gyd a dynion yn syrthio ac yn gwthio ac yn tuchan. Trawodd rhywun yn erbyn Megan a'i thaflu i'r llawr. O'r fan honno edrychai fel petai traed dynion o'i chylch ym mhobman. Gwyddai ei bod mewn perygl o gael ei sathru ganddyn nhw. Fe rowliodd i mewn o dan y gwely i ddiogelwch.

O'r fan honno gallai glywed sŵn y sgarmes rhwng Barti a gwŷr y Press, ond ni allai weld dim. Fe deimlai y dylai fod ar ei thraed yn helpu ei gŵr, ond gwyddai na allai hi wneud dim ond gorwedd yn y fan lle'r oedd hi o dan y gwely. Roedd hi wedi dychryn gormod. Clywodd sŵn corff yn cwympo yn ymyl y gwely, a gwelodd mai'r morwr barfog oedd wedi ceisio ei chusanu ydoedd. Clywodd sŵn gweiddi ffyrnig a rhegfeydd ac anadlu trwm. Ni allai ddweud am ba hyd y bu'r ymladd yn mynd ymlaen yn ei hystafell, ond yn sydyn sylweddolodd fod pobman yn dawel.

Daeth allan o dan y gwely. Roedd y lle'n annibendod i gyd—cadeiriau wedi eu dymchwelyd, a'r drych ar y bwrdd wedi ei ddryllio'n ddarnau. Nid oedd sôn am enaid yn unman. Edrychodd ar y gadair yn ymyl y gwely. Nid oedd y got goch arni—nac, yn wir, i'w gweld yn unman yn yr ystafell.

Rhedodd allan i'r landin.

Dim sôn am neb.

Yna gwelodd ei thad yn dod i fyny'r grisiau.

'Wyt ti—wyt ti'n iawn, 'y ngeneth i?' gofynnodd yn ofidus.

'Ydw, rwy i'n iawn. Ond, 'Nhad, ydyn nhw wedi mynd â Barti? '

'Rwy'n ofni 'u bod nhw, Megan. Rhaid iti fod yn ddewr.'

Erbyn hyn roedd ef wedi cyrraedd y landin lle safai ei ferch. Cyrhaeddodd mewn pryd i'w dal yn ei freichiau cyn iddi syrthio mewn llewyg i'r llawr.

Pan ddaw Barti ato'i hunan, mae e'n garcharor ar fwrdd y llong ryfel Pembroke. *Uwch ei ben saif y mêt creulon a chot briodas Barti amdano. Does ryfedd fod gwaed Barti'n berwi. Y noson honno mae e'n tyngu llw—y bydd e'n* dial, dial, dial.

Am iddo brotestio caiff Barti ei drin yn giaidd ar fwrdd y Pembroke. *Does dim amdani ond breuddwydio am ddianc adre at Megan, pan ddaw'r llong i dir. Ond mae'r* Pembroke *yn suddo mewn storm a does neb wrth law i helpu ond môr-ladron y* Rover. *Wrth i'r* Pembroke *ddiflannu dan y dŵr, mae Barti a'i ffrind Abram Tomos yn nofio am eu bywydau at y* Rover, *lle cânt groeso i'w ryfeddu.*

Roedd capten y môr-ladron ar y pŵp uwch eu pennau. Dyn cymharol fyr, ond cadarn o gorff, ydoedd, a chanddo fwstás du o dan ei drwyn, a oedd, yn amlwg, yn achos cryn falchder iddo, oherwydd roedd wedi ei drwsio a'i iro nes gwneud iddo edrych yn wych dros ben. Yr oedd gwisg y dyn yn drwsiadus hefyd.

Dechreuodd y capten annerch y dynion gwlybion wrth fôn y mast. Siaradai yn Saesneg, ond cyn gynted ag yr agorodd ei geg bron, edrychodd Barti ac Abram Tomos ar ei gilydd mewn syndod.

'Cymro yw e!' sibrydodd Barti.

'O Sir Benfro!' atebodd Abram.

Gwrandawodd pawb yn astud ar yr hyn oedd ganddo i'w ddweud. Dywedodd wrthyn nhw ei fod ef a'i griw wedi mynd yn fôr-ladron am eu bod am ryddid i fyw fel y dymunen nhw. Soniodd fel yr oedd cyfoeth a phethau da'r byd yn eiddo i'r ychydig, tra oedd y mwyafrif yn byw mewn angen o ddydd i ddydd. Yr oedd ef a'i griw wedi penderfynu newid tipyn ar y drefn yma—roedden nhw wedi penderfynu cymryd iddyn nhw'u hunain, yn awr ac yn y man, dipyn o'r cyfoeth a oedd yn nwylo'r ychydig.

Aeth ymlaen wedyn i ddweud ei fod ef a'i fechgyn newydd fod mewn sgarmes ar y môr â llong a oedd ar ei ffordd adre i Ffrainc o'r Gorllewin. Roedd y brwydro wedi mynd dipyn yn rhy boeth wrth ei fodd, ac roedd wedi colli nifer o'i wŷr. Yn awr roedd y *Rover* yn brin o ddynion da, parod i ymladd.

Faint o griw'r *Pembroke* oedd yn barod i ymuno ag ef—i fod yn fôr-ladron? Eglurodd y byddai unrhyw drysor yn cael ei rannu'n deg rhyngddynt. Fe ddywedodd, serch hynny, mai bywyd peryglus oedd bywyd y môr-leidr, ond ei fod yn fywyd llawen a diofal. Ar ei long ef, meddai, roedd pawb yn gyfartal, ond bod gair y capten yn ddeddf mewn unrhyw frwydr.

Ar ôl iddo orffen siarad, edrychodd i lawr arnyn nhw i weld sawl un oedd yn barod i ymuno o'i fodd â'r môr-ladron. Ond nid oedd neb yn ymddangos yn awyddus iawn i ymuno ag ef.

Yr oedd Abram a Barti mewn tipyn o gyffro ar ôl deall mai Cymro oedd y capten. A oedd Abram yn iawn pan awgrymodd mai dyn o Sir Benfro oedd e, meddyliodd Barti?

Yna roedd y capten yn siarad—yn Saesneg—unwaith eto.

'Wel, pwy sy am ymuno â'r criw?' Syrthiodd ei lygad ar gorff mawr Abram Tomos a Barti yn ei ymyl.

'Beth amdanoch chi'ch dau?' gofynnodd.

'Dim diolch yn fawr, Capten,' meddai Barti, yn Gymraeg!

'Wel! Wel! Cymro wyt ti, iefe?' Yntau hefyd yn Gymraeg yn awr.

'Ie,' meddai Barti, 'dau Gymro—o Sir Benfro.'

Agorodd y capten ei lygaid led y pen, a chwaraeai gwên fach o gwmpas ei wefusau.

'Mister Dennis,' meddai yn Saesneg, wrth ddyn tew a safai yn ei ymyl, 'dewch â'r ddau yna i'r caban.' Yna trodd ar ei sawdl a diflannu trwy ddrws y caban mawr o dan y pŵp.

Gwnaeth y dyn tew arwydd ar y ddau gyfaill i'w ddilyn. Pan aethon nhw i mewn ar ei ôl i'r caban gwelsant y capten yn eistedd y tu ôl i fwrdd crwn.

Wedi diolch i Dennis am ddod â nhw, ac ar ôl i hwnnw fynd allan, cododd y capten ar ei draed.

'O ble yn Sir Benfro, gyfeillion?' gofynnodd.

'Rwy i'n dod yn wreiddiol o Gasnewy' Bach ond yn awr rwy'n byw yn Nhrefdraeth,' meddai Barti.

'Wel! Wel!' meddai'r capten gan gydio yn ei law.

'A thithe?' gofynnodd, gan droi at Abram Tomos.

'Abergwaun,' meddai hwnnw.

'Abergwaun! Rwy i wedi bod yno lawer gwaith! Wedi bod yn cerdded lloriau sanctaidd yr hen Eglwys Gadeiriol lawer tro.'

'A chi, Capten?' gofynnodd Barti. 'Ydych chi'n dod o'r sir?'

'Wrth gwrs! Rwy'n un o fechgyn Milffwrt. Roedd ein teulu ni'n berchen tir y tu allan i Hafan Milffwrt flynyddoedd yn ôl ond erbyn hyn—diolch i'r Saeson cythraul—does gynnon ni ddim.' Caledodd ei wyneb wrth ddweud hyn.

'Y . . .' meddai Abram Tomos, 'wyddon ni ddim mo'ch enw chi eto, Capten.'

'Hywel Dafydd. Unwaith yn ŵr bonheddig o Sir Benfro, ond yn awr yn gapten y môr-ladron ar y llong *Rover*, at eich gwasanaeth,' meddai, gan fowio i'r ddau. 'Eisteddwch,' meddai wedyn yn gwrtais, 'i mi gael tipyn o'ch hanes.'

Eisteddodd y ddau i lawr o gwmpas y bwrdd gydag ef, a chyn bo hir roedd Barti ac Abram yn adrodd eu hanes, a hanes eu dal gan y Press, wrth Capten Dafydd.

'Ac rwy i wedi tyngu llw i ddial,' meddai Barti wrth ddod i ben â'i stori ef ei hun, 'dial ar bawb fuodd yn gyfrifol am yr hyn ddigwyddodd i fi.'

Edrychodd Capten Dafydd yn hir ar ei wyneb lluniaidd, a oedd yn awr yn wgus a phenderfynol.

'Ymuna di â fi, ac fe dy helpa i di i ddial, Barti Roberts,' meddai. 'Mae dy stori di yn debyg i'm stori i wedi'r cwbwl. A dial ar y Saeson yn bennaf y bydda i wrth ymosod ar longau ar y môr. O, rwy'n ymosod ar longau gwledydd eraill, mae'n wir . . . ond pan fydda i'n gweld mai llong o Loegr yw hi, mi fydda i'n teimlo'n falch . . .'

'Rwy i eisie mynd adre i Drefdraeth,' meddai Barti, 'ond cyn mynd fe garwn i ddial . . . felly . . . am y tro, beth bynnag, fe ymuna i â chriw'r *Rover*, Capten Dafydd.'

Am y tro mae Barti'n fôr-leidr ac o fewn byr amser daw'r cyfle i ddial ar ei elynion. Caiff ddillad crand a chleddyf gan Capten Dafydd. Mae bywyd yn braf ar fwrdd y Rover, *ond unwaith eto daw tro ar fyd. Lleddir Capten Dafydd gan drigolion Ynys y Tywysogion a phwy sy'n cael ei ddewis yn gapten yn ei le? Barti. Ar arfordir Brasil mae'r capten newydd yn cyflawni camp anhygoel. Mae Bae yr Holl Saint yn llawn o longau Portiwgal. I'w canol hwylia'r* Rover *a chipio'r* Familia Sagrada, *y llong gyfoethocaf un.*

Wedyn gosododd Barti griw o'r môr-ladron ar y llong i helpu Kennedy i'w hwylio am y môr. Codwyd hwyliau arni gyda'r brys mwyaf, ac aeth Barti a'r gweddill o'i griw yn ôl i'r *Rover*.

Yn awr cafodd y capten gyfle i edrych o gwmpas yr harbwr. Gwelodd fod y lle wedi deffro drwyddo. Roedd prysurdeb mawr i'w weld ar ddeciau'r llongau i gyd a gwyddai eu bod yn paratoi i ymosod arno. Gwyddai hefyd fod y rhan fwyaf anodd o'r fenter eto ar ôl. Byddai'n rhaid iddo gadw'r gelyn draw nes y byddai Kennedy wedi cyrraedd y môr agored. Edrychodd i weld sut oedd Kennedy a'i griw yn dod ymlaen. Gwelodd mai araf iawn oedd y llong fawr yn dod abowt i ddal y gwynt. Fe wyddai wrth ei siâp mai hwylreg araf fyddai hi beth bynnag, hyd yn oed heb ei llwyth trwm.

O'r diwedd roedd hi'n symud yn falwodaidd tuag at enau'r harbwr. Ond yr oedd un o longau mwyaf y Portiwgeaid yn dod tuag atynt at draws y bae. Ciliodd y *Rover* gyda'r *Familia Sagrada* am enau'r harbwr.

Wedi cyrraedd yno a gweld Kennedy a'i long yn mynd am y môr, trodd Barti Roberts y *Rover* i wynebu'r llong a oedd yn dod tuag ato. Wedi edrych yn fanwl ar gyfeiriad y gwynt, rhoddodd orchymyn i Ashplant i lywio'n syth amdani. Sylwodd fod Dennis wrthi'n edrych dros y gynnau mawr i wneud yn siŵr fod pob un wedi ei ail-lwytho ac yn barod i danio.

'Gwaeddwch!' meddai Barti wrth y criw.

'Gadewch i ni gael clywed eich lleisiau peraidd chi bob un!'

Daeth gwên dros wyneb crwn Dennis. Roedd y capten newydd yn gwybod ei waith, meddyliodd.

Yn awr, dechreuodd y criw cymysg weiddi a sgrechian fel haid o wrachod.

'Chwarddwch!' gwaeddodd Barti Roberts.

Yna torrodd chwerthin gwallgof ar draws y bae. Syrthiodd y sŵn ar glustiau'r Portiwgeaid. Ar yr un pryd roedd y *Rover* yn nesáu'n gyflym ac yn fygythiol tuag atynt.

Rhoddodd Barti ei delisgôp wrth ei lygad. A oedd y llong fawr yn arafu? A oedd sgrechfeydd a chwerthin y môr-ladron wedi codi ofn yng nghalonnau'r Portiwgeaid?

Oedd! O'r braidd y gallai goelio ei lygaid pan welodd y llong fawr yn troi ymaith. Roedd hi wedi dychryn!

Trodd Ashplant ei ben i edrych ar Barti Roberts i weld beth yr oedd am wneud.

'Ar 'i hôl hi, Mister Ashplant!' gwaeddodd.

Ysgydwodd Ashplant ei ben, ond yr oedd gwên ar ei wyneb garw serch hynny.

Yr oedd y *Rover* yn nesáu'n gyflym at y llong fawr. Cyn bo hir fe fyddai'r môr-ladron yn ddigon agos i danio arni.

Ond roedd rhai o longau eraill y Portiwgeaid yn dod tuag atyn nhw erbyn hyn, a chyn bo hir fe fyddai'r *Rover* yng nghanol llongau'r gelyn.

'Mister Dennis!' gwaeddodd Barti. 'Y *Bow-chasers*!'

Y gynnau ym mhen blaen y llong oedd y rheini, a'r unig rai a allai obeithio cael ergyd ar y llong oedd yn ceisio dianc. Ffrwydrodd y gynnau yn y bow a sïodd y pelenni ar draws y dŵr. Trwy'i delisgôp gwelodd Barti un ergyd yn unig yn taro'r llong, roedd pob un arall wedi disgyn yn y dŵr. Ond yr oedd yr un ergyd honno wedi dryllio ffenest y caban o dan y pŵp. Gwenodd Barti wrth feddwl am y llanast a wnaeth yr un ergyd honno yng nghaban y capten!

Ond yn awr yr oedd rhaid iddo wylio'r bae i gyd

i weld pa longau a oedd agosaf at y *Rover* ac yn debyg o wneud niwed iddi. Yr oedd un peth yn sicr, nid oedd yn mynd i allu dilyn ar ôl y llong a oedd wedi ymosod gyntaf arno. Roedd honno'n awr yng nghanol llongau eraill, ac felly'n ddiogel.

Taflodd Barti lygad tua'r cei lle'r oedd y ddwy long ryfel. Chwarddodd yn uchel wrth weld nad oedd yr un ohonyn nhw wedi symud eto! Doedd y Portiwgeaid ddim yn awyddus iawn i ymladd, meddyliodd.

Gwelodd Ashplant yn edrych arno, a gwyddai ei fod yn disgwyl gorchymyn i newid cwrs, gan fod y *Rover* yn dal i fynd yn ei blaen i ganol llongau'r gelyn. Taflodd Barti lygad dros ei ysgwydd i weld ble'r oedd y *Familia Sagrada* arni. Gwgodd wrth weld mai ychydig o bellter oedd hi o'r tir o hyd.

Yna trodd yn ôl at Ashplant ac ysgydwodd ei ben arno, gan wenu yr un pryd.

Mewn syndod a dychryn gwelodd y Portiwgeaid y *Rover* yn hwylio i mewn i'w canol ac—er mawr gywilydd iddyn nhw—yn lle aros i ymladd fe drodd llawer ohonyn nhw o'r ffordd i geisio osgoi dialedd y môr-ladron. Chwarae teg, yr oedden nhw'n yn disgwyl cymorth y ddwy long ryfel wrth y cei. Ond nid oedd y rheini'n brysio i ddod i'w helpu.

Roedd llawer o'r llongau Portiwgeaidd yn tanio'u gynnau erbyn hyn, ond tanio i geisio dychryn y môr-ladron a wnaent yn bennaf, ac ni ddisgynnodd cymaint ag un ergyd ar y *Rover*. Ond wrth hwylio ymysg y llongau, roedd Dennis a'i wŷr yn tanio hefyd, ac yn cael gwell hwyl o lawer arni. A'r prynhawn yn dirwyn i ben, roedd y pandemoniwm rhyfeddaf ym Mae yr Holl Saint—gynnau'n tanio'n ddi-stop, gweiddi a sgrechian y môr-ladron a bloeddiadau'r Portiwgeaid am gymorth o rywle.

A'r prynhawn hwnnw yr enillodd Barti Roberts iddo'i hunan enw nas anghofir byth.

Pan edrychodd dros ei ysgwydd nesaf gwelodd fod y *Familia Sagrada* ymhell allan yn y môr.

'Abowt! Mister Ashplant!' gwaeddodd.

Anwesodd Ashplant y llyw yn dyner a daeth y *Rover* abowt yn ufudd. Yn awr hwyliodd yn gylch mawr o gwmpas y bae, ond daliodd i danio ar y Portiwgeaid wrth basio.

Yna roedd genau'r bae o'i blaen eto, ac nid oedd dim rhyngddi a'r môr mawr. Torrodd chwerthin llawen allan ar ei bwrdd. Yr oedd y *Rover* wedi mynd i ganol deugain o longau Portiwgal ac wedi dwyn y mwyaf cyfoethog ohonyn nhw, a dianc yn ddianaf. A'r hyn oedd wedi gwneud y wyrth yna'n bosibl oedd y capten newydd—Barti Roberts o Gasnewy' Bach!

Rhoddodd Ashplant y llyw i un o'r morwyr ac aeth ef a Barti i lawr i'r caban mawr. Cyn bo hir daeth Dennis ac Abram Tomos atyn nhw. Roedd Dennis ac Ashplant yn wên o glust i glust. Oedd, roedd y capten newydd yn drech gŵr hyd yn oed na Chapten Dafydd. A'r tu allan ar y dec, roedd y criw yn siarad amdano gydag edmygedd mawr. Fe wyddai pob un ohonyn nhw eu bod, y diwrnod hwnnw, wedi cyflawni gweithred y byddai sôn amdani'n mynd ar draws y byd i gyd. Ac nid oedd neb yn eu mysg y prynhawn hwnnw na fyddai'n barod i roi ei fywyd dros Capten Roberts.

Dim ond Abram Tomos oedd yn feddylgar ac yn ddistaw. Roedd ef yn ceisio dyfalu sut y gallai Barti fynd yn ôl i Drefdraeth ar ôl yr hyn oedd wedi digwydd.

Does ryfedd fod Abram Tomos yn poeni. Mae Barti'n dal yn benderfynol o fynd adre i Drefdraeth at Megan ryw ddiwrnod. Ond sut groeso gaiff e yno? Nid pysgotwr yw e mwyach, ond môr-leidr crand ac eofn. Mae pawb yn Nhrefdraeth—a'r awdurdodau hefyd—wedi clywed am Barti Ddu.

SIÔN CWILT

detholiad allan o'r nofel

DIRGELWCH YR OGOF

Herio'r gyfraith ar foroedd y Gorllewin wnâi Harri Morgan a Barti Ddu, ond roedd rhai'n gweithredu yn nes adre. Fin nos mewn ambell gilfach unig ar arfordir Cymru byddai llong yn angori, cwch yn rhwyfo'n ddistaw bach i'r traeth a chlip-clop merlod i'w glywed wrth i lwyth o frandi gael ei gludo i'r lan. Roedd rhaid talu trethi ar frandi a nwyddau eraill o wledydd tramor. Er mwyn osgoi'r trethi—a gwneud elw mawr—byddai smyglwyr yn dod â'u llwyth i'r lan ymhell o olwg dynion y gyfraith, yr ecseismyn.

Ar un adeg roedd pentref bach Cwmtydu ar arfordir Ceredigion yn gartref i smyglwyr. Yr enwocaf ohonynt i gyd oedd cymeriad hynod o'r enw Siôn Cwilt. Pwy oedd Siôn Cwilt? Yn y nofel Dirgelwch yr Ogof *mae T. Llew Jones yn cynnig ei ateb ei hun.*

Daw newydd trist i Watcyn Parri, sgweier plas y Glasgoed uwchlaw Cwmtydu. Mae ei long wedi suddo ac os na chaiff e arian i dalu ei ddyledion, fe fydd yn colli'r plas. Nid Watcyn Parri a'i fab yw'r unig rai sy mewn gofid. Mae holl drigolion Cwmtydu yn poeni am ddyfodol eu sgweier hael a charedig. Yn eu plith mae Mari 'Fforin', gwraig weddw o Lydaw sy'n cadw tafarn Glandon. Yn hwyr un nos Sadwrn mae Mari, ei mab ieuengaf Emil a'i merch Lucille, neu Liwsi, yn eistedd wrth y tân.

Yn sydyn cododd Emil ei ben. 'Mae 'na rywun yn dod,' meddai.

''Yma? Does bosib! Mae'n hwyr iawn.'

Yna clustfeiniodd hithau a chlywodd sŵn traed yn nesáu at y drws. Cododd Lucille ei phen oddi wrth ei gweu ac edrychodd y tri ar ei gilydd. Yna clywsant gnoc ar y drws.

'Fe af fi,' meddai Mari 'Fforin'. Rhoddodd ei gweill o'r neilltu ac aeth at y drws. Agorodd ef a chwythodd gwynt hallt y môr ar ei hwyneb. Gwelodd gysgod yn sefyll ar garreg y drws, cysgod dyn, ond edrychai'n debyg i fwgan hefyd, oherwydd—yng ngolau'r lleuad—gallai Mari weld ei fod yn gwisgo cwcwll tywyll am ei ben a rhyw glogyn llaes am ei gorff.

'Pwy sy wedi dod i'n blino ni'r amser yma o'r nos?' gofynnodd Mari, gan geisio gweld wyneb yr ymwelydd yn yr hanner tywyllwch.

Y tu mewn, clustfeiniai Lucille a'i brawd, Emil, am ateb yr ymwelydd hwyr. Ond roedd llais y dieithryn mor isel fel y collodd y ddau yr ateb yn llwyr.

Yna daeth ei mam yn ôl i'r ystafell â golwg wyllt arni.

'Emil! Lucille! Ewch i'r llofft . . . mae 'na rywun wedi galw i 'ngweld i . . . rhywun nad yw e ddim am i neb 'i weld *e*. Ewch nawr!'

Roedd hi'n swnio'n gynhyrfus. Ni symudodd yr un o'r ddau.

'Lucille! Wyt ti'n clywed?' Aeth y ferch ifanc am waelod y grisiau.

'Emil!'

'Rwy'n mynd i aros ar lawr i weld pwy yw e, Mama.'

'Na, Emil, er 'y mwyn i. Ddaw e ddim mewn nes ei di.'

'Ond pwy yw e? A beth yw 'i neges e?'

'Fe gei di, wbod, rwy'n addo. Ond nid heno.'

'O'r gore, Mama. Ond fe fynna i gael gwbod.'

Aeth Emil yn ddistaw i fyny'r grisiau i'r llofft ar ôl ei chwaer.

Aeth Mari yn ôl i'r drws. 'Dewch mewn,' meddai wrth y dieithryn. Gwthiodd y dyn heibio iddi ac i mewn i'r gegin. Taflodd lygad brysiog o gwmpas y stafell, yna aeth at y siôn segur a diffodd y gannwyll. Yn awr roedd y stafell yn dywyll oni bai am y golau gwan a ddeuai o'r tân. Roedd hwnnw'n ddigon i Mari 'Fforin' allu gweld fod yr ymwelydd hwyr wedi ei wisgo mewn rhyw fath o got fawr hir—bron hyd y llawr—a bod rhyw gwcwll anniben o gwmpas ei ben ac yn cuddio'r rhan fwyaf o'i wyneb; yn wir, yn y golau gwan hwnnw, ni allai Mari weld ei wyneb o gwbwl.

'Eisteddwch,' meddai, gan gyfeirio at y sgiw yn ymyl y tân. Ond eisteddodd y dieithryn ar gadair yn y cysgodion y pen arall i'r bwrdd. Yna dechreu-odd siarad yn isel—mor isel fel y bu raid i Mari fynd at y bwrdd i glywed y cyfan a oedd ganddo i'w ddweud. Yno, a'r tân coed yn llosgi'n is ac yn is, soniodd am gynlluniau rhyfedd, am smyglo ar raddfa mor fawr nes codi dychryn ar Mari. Nid yr ychydig gasgenni bach o frandi yn awr ac yn y man, ond helfa fawr a chyson. Soniodd am borthladd Roscoff yn Llydaw—prif borthladd y smyglwyr, ac yn yr hanner tywyllwch, gallai Mari weld eto y dre fach glan-môr lle cyfarfu hi â'i chariad. Cofiodd y tai isel a'r tywod gwyn.

Yna daeth y dieithryn at bwrpas ei ymweliad â thafarn Glandon y noson honno—roedd e'n gofyn am help Mari a'i bechgyn i ddwyn ei gynlluniau mentrus i ben. Roedd e'n awgrymu ei bod hi'n mynd unwaith eto i Roscoff—i Lydaw! Yna roedd y dieithryn wedi codi ar ei draed. Am foment fflamiodd darn o bren yn y tân cyn llosgi allan, a chafodd Mari gyfle i weld lliw ei wisg. Synnodd weld fod ei got, neu ei glogyn, yn glytiau i gyd a'r rheini o wahanol liwiau, fel cwilt.

'Eich enw, syr . . . ?' gofynnodd Mari. Chwarddodd y dyn yn isel.

'Fe wna unrhyw enw'r tro . . . galwch fi'n Siôn—dyna enw bach digon cyffredin.'

'Siôn . . . Siôn y cwilt . . .' meddai Mari, bron heb yn wybod iddi ei hun.

'A! Rwy'n gweld eich bod chi wedi sylwi ar 'y ngwisg i! Braidd yn anghyffredin rwy'n cyfadde! Ie, Siôn Cwilt . . . dyna fe i'r dim.'

'Mae'n ddrwg gen i, ond fedra i ddim eich helpu chi, Siôn y Cwilt,' meddai Mari.

Cydiodd yn ei braich yn sydyn a phlygu 'mlaen a sibrwd rhywbeth yn ei chlust, mor isel fel na chlywodd hyd yn oed Emil, a oedd wedi sleifio i lawr dros y grisiau heb yn wybod i neb, ac a oedd wedi bod yn gwrando'n astud ar y siarad.

'Mon Dieu!' meddai Mari 'Fforin', gan gamu'n ôl oddi wrth y dieithryn fel pe bai wedi cael ei tharo.

Yna roedd y dyn wedi mynd—allan i'r nos.

Aeth Mari ati i ailgynnau'r gannwyll. Roedd ei llaw yn crynu. Heb yn wybod iddi sleifiodd Emil i fyny'r grisiau ac i'w wely.

* * *

Ac o'r noson honno, pan ymwelodd y dieithryn â'r got glytiog â hen dafarn Glandon, ni fu bywyd yr un fath yng Nghwmtydu. O fod yn bentre bach digon tawel a diniwed ar lan y môr, fe ddechreuodd ennill iddo'i hunan enw drwg iawn fel 'Pentre'r Smyglwyr'. Ac erbyn hynny roedd enw arall ar wefusau pobl pentrefi glannau'r môr—enw a fyddai'n cael ei sibrwd lle bynnag y byddai dau neu dri yn cwrdd â'i gilydd—enw y byddai'r mamau'n ei ddefnyddio i godi ofn ar y plant pan fydden nhw'n ddrwg ac yn pallu mynd i'r gwely.

Yr enw oedd 'SIÔN CWILT'.

Mae'r sôn am Gwmtydu yn cyrraedd clustiau'r awdurdodau yn Llundain. Anfonir Bart Thomson, yr ecseisman, a'i was Walter Moses i'r pentre i ddal y smyglwyr, ond chân nhw ddim croeso gan y pentrefwyr. Pan wêl Bart long—lyger—allan yn y bae, rhaid sleifio liw nos i ben y graig i gadw llygad arni.

Gorweddai Bart Thomson ar ben y graig yn edrych i lawr ar bentre Cwmtydu yn y golau-leuad. Erbyn hyn roedd hi bron â bod yn benllanw. Gallai weld y lyger yn glir yn awr, yn rowlio yn y swel rhyw ganllath o'r lan. Pan oedd wyneb y lleuad heb gwmwl gallai weld y traeth yn fyw o bobol yn symud o gwmpas fel morgrug, a rhwng y lyger a'r lan roedd cychod bach yn mynd yn ôl ac ymlaen. Codai ambell waedd uchel o'r traeth islaw ond ar y cyfan roedd yr hyn oedd yn digwydd ymhell oddi tano'n mynd ymlaen yn ddistaw. Yn uwch i fyny ar y traeth roedd rhes hir o bethau tywyll, a phan dorrodd sŵn gweryru ar ei glustiau gwyddai mai merlod neu geffylau oedd y rheini. Y rhain oedd i gludo'r contraband i ffwrdd o Gwmtydu! I ble tybed? Pe bai'n gwybod hynny fe fyddai o help mawr iddo, meddyliodd. Ble roedd Walter Moses arni, meddyliodd wedyn. Penderfynodd fod rhaid iddo fynd i lawr i weld drosto'i hunan. Nid oedd ofn yr un dyn byw ar Thomson, ond fe gurai ei galon yn gyflymach wrth gamu i lawr yn ddistaw tuag at draeth Cwmtydu'r noson honno. Nid oedd ganddo unrhyw gynllun yn ei ben wrth fynd, ond pe bai'n gallu dal *un* yn unig o'r smyglwyr, meddyliodd, a gwneud i hwnnw siarad, fe fyddai wedi cael noson lwyddiannus.

Yr oedd y llwybr a gerddai yn awr yn serth iawn a phe bai'n colli ei droed unwaith, byddai'n disgyn ar ei ben dros y dibyn i'r traeth. Safodd i edrych o'i gwmpas i weld a oedd yna ffordd lai peryglus i lawr i'r gwaelod. Gwelodd rywbeth a edrychai fel llwybr ychydig i'r dde iddo. Ond wrth geisio croesi tuag ato dros wyneb y graig fe ryddhaodd garreg o dan ei droed. Clywodd hi'n disgyn ar gerrig y traeth islaw. Safodd yn ei unfan am dipyn. Tybed a oedd rhywun wedi clywed ei sŵn yn disgyn?

Cyrhaeddodd y llwybr yn ddiogel ac yn awr roedd hi'n haws o dipyn i gerdded nag oedd hi ar wyneb noeth y graig.

Yr oedd wedi cyrraedd yn agos iawn i'r traeth erbyn hyn. Synnodd weld cynifer o bobol yn rhuthro o gwmpas. Sylwodd fod merched a gwragedd a hyd yn oed rai plant yn eu mysg. Gwelodd ddynion cryfion yn dod i fyny o lan y môr a dwy gasgen ar ysgwyddau pob un, a'r plant a'r merched yn cario un gasgen yr un.

Synnodd weld faint o ferlod, a cheffylau hefyd, oedd yno ar ben y traeth yn cael eu llwytho â'r casgenni contraband. Er ei bod yn anodd rhifo'r cyfan, barnai fod yno yn agos i ddeugain o'r anifeiliaid yn un rhes hir, anniben. Fe wyddai yn awr fod smyglo mawr yn mynd ymlaen yng Nghwmtydu. Fe deimlai'n gynhyrfus iawn wrth weld yr holl gasgenni bach yn dod i'r lan—yn llawn o frandi, wrth gwrs! Aeth yn ofalus ymlaen ar hyd y llwybr tua'r traeth. Yna daeth at hollt yn y graig a rhywbeth tebyg i risiau garw trwy ei chanol yn arwain i'r traeth. Roedd hi'n dywyll yn yr hollt honno gan nad oedd golau'r lleuad yn treiddio iddi. Lle da iddo ef wylio heb gael ei weld, meddyliodd.

Ond bron yn union ar ôl iddo gyrraedd gwaelod y grisiau o fewn yr hollt fe glywodd sŵn o'r tu ôl iddo—sŵn traed trymion yn dod i lawr ar hyd y llwybr serth wrth ei gefn! Gwyddai ar unwaith eu bod yn dod tua'r hollt ac at y grisiau. Pwy oedd hwn neu'r rhain? Ai rhywun neu rywrai'n dod yn hwyr i'r helfa? Beth bynnag, fe sylweddolodd ar unwaith ei fod ef ei hun mewn sefyllfa gyfyng iawn. Ni allai fentro allan i'r traeth i'r golau leuad ac nid oedd amser bellach i gilio'n ôl i fyny'r llwybr o'r hollt. Daeth y sŵn traed yn nes. Erbyn hyn gallai glywed siarad isel hefyd. Roedd yno fwy nag un! Gwasgodd ei gorff yn erbyn y graig laith, gan obeithio yr âi pwy bynnag oedd yno heibio heb ei weld. Daeth traed trymion i lawr y grisiau garw. Deallodd yr ecseisman mai dau ddyn oedd yno. Ond cyn iddo sylweddoli dim rhagor na hynny fe deimlodd ysgwydd y dyn blaenaf yn taro yn ei erbyn.

'Beth . . .?' Safodd y dyn yn ei unfan. Estynnodd ei law a chyffwrdd â braich yr ecseisman.

'Pwy sy 'ma?' gofynnodd yn ddigon cyfeillgar. Oedodd Thomson cyn ateb. Ni wyddai beth i'w ddweud. Yna penderfynodd ddweud y gwir.

'Bart Thomson, ecseisman, ac yn enw'r Gyfraith rwy'n gofyn am eich help chi.'

Yr eiliad nesaf disgynnodd rhywbeth trwm ar ei ben.

Does dim amdani ond anfon am help y milwyr o farics Aberteifi. Y tro nesaf y daw'r lyger i'r bae, mae'r milwyr yn barod amdani. Maen nhw'n cadw gwyliadwriaeth ar y ddwy ffordd gul sy'n arwain o'r pentref er mwyn dal y smyglwyr a'u llwyth. Ond does dim sôn am y smyglwyr—ac mae'r lyger wedi diflannu. Aiff Bart Thomson ar ei union i dafarn Glandon.

'Rwy i wedi holi cwestiwn,' meddai, 'ac rwy i am ateb. Beth sy wedi digwydd i'r lyger weles i yn y bae prynhawn 'ma ? '

'Fe ddweda i wrthoch chi, syr,' meddai Sami.

'Wel?'

'Wel, os nad aeth hi odd' na, mae hi 'na o hyd.'

Am foment meddyliodd pawb fod yr ecseisman yn mynd i'w daro â'i ddwrn.

'Sami!' meddai Liwsi, gan gamu rhwng yr hen ŵr a'r ecseisman. Ond erbyn hyn roedd Thomson wedi rhoi ffrwyn ar ei dymer ddrwg.

'O'r gore, bobol,' meddai. Edrychodd ar wraig y dafarn. 'Os nad oes neb yn barod i roi unrhyw wybodaeth i ni, fe fyddwn ni'n aros 'ma—i gyd gyda'n gilydd—drwy'r nos os bydd angen—nes byddwn ni wedi darganfod ble mae smyglwyr Cwmtydu heno, a beth maen nhw'n 'i wneud. Rwy'n meddwl yn arbennig am eich meibion chi, madam. Fe gawn ni weld, pan ddôn nhw adre, beth maen *nhw* wedi bod yn 'i wneud heno. Dwedwch wrth eich bechgyn am eistedd, Capten Phillips, efalle bydd rhaid i ni aros yn hir. A thra'n bod ni'n aros, wnâi hi ddim drwg i ni'n dau gael cip ar seleri'r lle 'ma unwaith 'to.'

Eisteddodd y milwyr ar feinciau o gwmpas y taprwm.

'Rhowch beint o ddiod i bob un, madam, os gwelwch yn dda,' meddai Capten Phillips. Gwgodd yr ecseisman ar hyn ond ni ddywedodd air.

'Mae wedi mynd yn hwyr,' meddai Mari 'Fforin', 'mae'n bryd cau . . .'

'Yn hwyr!' Chwarddodd yr ecseisman yn chwerw. 'Madam, dyw hi ddim yn naw o'r gloch eto!'

Pesychodd Sami. 'Naw o'r gloch!' meddai. 'Rwy'n arfer mynd i 'ngwely am naw . . . y . . . rhaid i fi fynd.'

'Eistedd fanna!' gwaeddodd yr ecseisman. 'Chei di ddim mynd gam allan o'n golwg ni nes byddwn ni wedi cael ein dwylo ar rai o smyglwyr Cwmtydu. Pe bait ti'n cael mynd allan trwy'r drws 'na, fyddet ti ddim yn hir yn 'u rhybuddio nhw mae'n debyg. Cadwch lygad ar bob un o'r rhain,' meddai, gan droi at y milwyr. Yna, gan droi at wraig y dafarn, meddai, 'Canhwyllau, madam, i Capten Phillips a finne gael gweld eich seler chi.'

Eisteddodd gwraig y dafarn ar ei chadair a thynnodd ei llaw dros ei llygaid fel pe bai wedi blino.

'Lucille,' meddai, 'rho ganhwylle iddyn nhw . . . ac fe gei di fynd gyda nhw i ofalu na fyddan nhw ddim yn yfed y cwbwl sy 'na.' Roedd ei llais yn chwerw.

Ar ôl cynnau dwy gannwyll aeth Liwsi o flaen y ddau i lawr y grisiau tywyll at y seler.

'Ffordd hyn, Mister Thomson,' meddai Liwsi'n uchel.

Yr oedd seler ddofn i hen dafarn Glandon, a'r grisiau oedd yn arwain i lawr iddi yn rhai serth a threuliedig, a chan fod y gwynt a ddeuai i fyny atynt yn plycio'r fflamau oddi ar y ddwy gannwyll, nid oedd gan y ddau ddyn a ddilynai Liwsi ond ychydig o olau. Ond roedden nhw bron â chyrraedd y gwaelod pan lithrodd troed y capten a gwneud iddo syrthio'r pedwar neu bum gris rhyngddo a'r gwaelod. Yn ffodus iawn roedd Liwsi wedi cyrraedd y gwaelod cyn i hynny ddigwydd. Clywodd sŵn, a throi ei phen. Ond erbyn hynny roedd y Capten wedi glanio yn ei hymyl a chydio ynddi i'w arbed ei hunan. Am foment bu ei ddwy fraich yn dynn amdani a'i wyneb golygus bron yn cyffwrdd â'i hwyneb hithau. Daeth arogl y persawr hyfryd a ddefnyddiai i'w ffroenau.

'Y . . . mae'n ddrwg gen i . . . y . . . miss . . . wir i chi,' meddai'r milwr.

'Gadewch fi'n rhydd, Capten!' gwaeddodd Liwsi mewn llais uchel. Gollyngodd ei afael ynddi.

Wedi taflu'r drws led y pen aeth Liwsi i lawr dri gris arall a chyrraedd llawr y seler.

'A! Fyddwch chi ddim yn cloi eich seler, Miss?' gofynnodd yr ecseisman.

'Pan fyddwn ni'n mynd i'r gwely bob nos, syr, ddim yn y dydd.'

'Hym.' Dechreuodd Thomson edrych o'i gwmpas

yn fanwl. Roedd e eisoes wedi bod ddwywaith yn y lle yma, ac erbyn hyn roedd e'n hen gyfarwydd â'r holl annibendod oedd yno. Wyth o farilau cwrw yn un rhes, ac yng nghorneli'r seler fawlyd y cymysgedd rhyfeddaf o gewyll cimychiaid, rhaffau, rhwydi, gwrec, poteli gweigion, rhwyfau, dwy hen gist flawd, darnau o hwyliau a nifer o hen bethau dibwys eraill. Fe geisiodd yr ecseisman gofio a oedd popeth fel roedd e pan fu e yma o'r blaen.

Roedd rhywbeth yn wahanol! Beth? Edrychodd eto ar y muriau bawlyd, a oedd rywbryd, amser maith yn ôl, wedi bod yn wyngalchog. Yna ar yr annibendod ym mhob cornel. Ac yn sydyn fe wyddai!

Roedd nifer o gewyll cimychiaid wedi eu pentyrru un ar ben y llall yn un cornel a chlytiau o hen hwyliau drostynt. Doedden nhw ddim fel hynny pan fu ef yn y seler o'r blaen. Edrychodd ar y capten, ond roedd hwnnw a'i lygaid ar ferch y dafarn a edrychai fel rhyw fadonna yng ngolau'r ddwy gannwyll a ddaliai—un ym mhob llaw.

Camodd yr ecseisman at y pentwr yn y gornel. Gydag un gic sydyn fe ddymchwelodd y pentwr anniben. Aeth y cewyll ar draws y llawr i bob cyfeiriad. Cyn gynted ag roedd y pentwr wedi ei chwalu daeth ffurf dyn i'r golwg! Roedd e'n cyrcydu yn y gornel ac roedd e wedi ei wisgo mewn rhyw fath o glogyn carpiog a chlytiau o bob lliw drosto i gyd. Am ei ben yr oedd cwcwll llwyd, llaes a hwnnw'n cuddio'i wyneb bron i gyd.

'Ha!' gwaeddodd yr ecseisman yn gynhyrfus,

'dyma fe, Capten Phillips! Siôn Cwilt!' Tynnodd ei bistol mawr o'i wregys.

Yr eiliad nesaf gollyngodd Liwsi'r ddwy gannwyll o'i llaw. Roedd y ddwy wedi diffodd cyn cyrraedd y llawr. Yn awr roedd y seler fel y fagddu.

'Capten, y grisie!' gwaeddodd yr ecseisman. Ond y foment nesaf roedd e'n gorwedd ar y llawr—wedi ei daro gan ddwrn yn y tywyllwch.

'Yn enw'r Brenin, syr!' gwaeddodd Capten Phillips. Roedd e wedi tynnu ei gleddyf o'i wain a symud i gyfeiriad y grisiau. Ond erbyn hyn—yn y tywyllwch dudew—doedd e ddim yn siŵr ble roedd y grisiau. Yna clywodd sŵn rhywun yn mynd heibio iddo a rhoddodd ei freichiau allan i geisio cyffwrdd ag ef. Am eiliad cyffyrddodd ei fysedd â brethyn garw, yna roedd y ffoadur wedi symud o'i afael. Wedyn roedd sŵn traed ar y grisiau.

'Daliwch e! Daliwch e!' gwaeddodd Thomson gan anadlu'n drwm. Roedd e wedi codi ar ei draed erbyn hyn, ac yn awr rhuthrodd heibio i Capten Phillips i gyfeiriad y sŵn a glywsai. Clywsant ddrws yn agor a chau.

'Daliwch e! Daliwch e!' Yn awr roedd Thomson yn sgrechian fel dyn gwyllt, ac nid cyfarch Capten Phillips yr oedd e—ond y milwyr yn y taprwm uwch eu pennau. Rywsut cyrhaeddodd yr ecseisman ddrws y seler a'i agor a daeth llygedyn o olau i lawr atynt o'r stafell uwch eu pennau.

'Daliwch e! Daliwch e!'

Clywodd y milwyr floeddiadau Thomson yn awr a gadawodd pob un ei ddiod a rhuthro allan i'r cefn. Daethant wyneb yn wyneb â Thomson ar ben y grisiau.

'Ble mae e wedi mynd?' gwaeddodd yr ecseisman yn wyllt. Edrychodd y milwyr yn syn arno. Trodd Thomson ei ben a gweld cegin gefn y dafarn, a drws ar agor yn ei phen pellaf. Roedd y drws yn siglo'n ôl a blaen yn araf yn y gwynt.

'Ar 'i ôl e!' gwaeddodd. 'Siôn Cwilt yw e! Mae 'na sofren felen i unrhyw un all 'i ddala fe!'

Rhuthrodd y milwyr allan drwy'r drws. Yng nghefn y dafarn roedd y tir yn codi'n serth nes cyrraedd copa'r bryn fry uwch eu pennau.

'Ust!' gwaeddodd Thomson.

Yn y distawrwydd gallent glywed sŵn y ffoadur yn dringo drwy'r rhedyn a'r eithin crin ar y llethr. Heb i neb ddweud yr un gair wrthynt dechreuodd y milwyr ddringo ar ôl y sŵn. Ond ni thrafferthodd Thomson eu dilyn. Yn ei galon fe wyddai na fyddai neb yn debyg o ddal y smyglwr yn y tywyllwch. Roedd e wedi bod yn ei afael . . . ac roedd e wedi dianc . . . o leiaf am y tro. Ond ni rwystrodd y milwyr, serch hynny—fe allent gyflawni gwyrth, meddyliodd!

Aeth yn ôl i'r dafarn â gwg ffyrnig ar ei wyneb.

Drannoeth daw Bart Thomson ar draws ogof fawr a channoedd o olion traed ynddi, ogof sy'n llawn o sŵn ysbrydion. Ond mae'r smyglwyr wedi hen ddiflannu. Does 'na ond un ffordd o ddal eu harweinydd—trwy gynnig gwobr hael am wybodaeth amdano. Mae 'na o leiaf un person yng Nghwmtydu fyddai'n fodlon bradychu cyfrinach ryfedd Siôn Cwilt.